KB104944

오늘도 성장하고
삶은 어른들을
위한 책

오늘부터
나답게
살기로 했다

양일옥 지음

목 차

6장. 가치와 비전 세우기 자기경영
- 내가 중요하게 생각하는 가치와 비전 설정
- 가치와 비전이 삶에 미치는 영향

7장. 브랜딩 책쓰기
- 나를 브랜딩하는 책쓰기 방법
- 전문가로서의 신뢰를 쌓아가는 과정

8장. 나답게 사는 삶 /휴식에 대해서/일을 즐겁게 오래 할려면
- 나답게 살기 위한 실천 방안
- 나답게 사는 삶을 지속하는 방법

에필로그
나다운 삶을 향해

프롤로그

나는 늘 나답게 살고 싶었다. 그러나 나답게 사는 것이 무엇인지, 어떻게 해야 나답게 살 수 있는지에 대해 명확히 알지 못했다. 사회가 요구하는 모습에 맞춰 살아가다 보니 어느새 나는 진짜 나를 잃어버리고 있었다. 남들의 기대와 시선 속에서 나를 찾기란 쉽지 않았다.

어느 날, 문득 내 삶을 돌아보게 되었다. 나는 누구인가? 무엇을 위해 살아가고 있는가? 나의 꿈은 무엇이며, 나의 강점은 무엇일까? 나는 무엇을 소중히 여기는가? 이 질문들에 답을 찾고자 했을 때, 나는 내 안에 숨겨진 진정한 나를 발견하고 싶었다.

자발적인지 비자발적인지 모르겠지만 나는 휴식을 선택했다. 여러분에게 휴식은 무엇입니까? 저는 휴식속에서 나를 발견하는 신비함을 경험했다. 먼저 나는 자발적으로 고독함을 선택했다. 그렇게 홀로 있는 시간을 통해서 나를 관찰하고, 새로운 것을 배우고 그동안 만났던 사람이 아니라 새로운 사람을 만났고 새로운 꿈 리스트를 작성하며, 책을 쓰게 되었고 감사함을 느꼈고 그렇게 조금씩 진정한 나를 만나게 되었다.

이 책을 통해 나는 많은 이들이 자신을 발견하고, 나답게 살아갈 수 있기를 바란다. 나를 찾고, 나의 가치를 실현하며, 나다운 삶을 살아가는 것이다. 이 책이 여러분의 나다움을 찾는데 작은 등불이 되기를 소망한다.

이 책을 통해 나는 많은 이들이 자신을 발견하고, 나답게 살아갈 수 있기를 바란다. 나를 찾고, 나의 가치를 실현하며, 나다운 삶을 살아가는 것이다. 이 책이 여러분의 나다움을 찾는데 작은 등불이 되기를 소망한다.

나도 알고 당신도 아는 나.
나는 모르는데 당신은 아는 나.
나는 아는데 당신은 모르는 나.
여러분은 나 자신을 얼마나 아시나요?

1장. 나를 찾아가는 시간

자신을 찾고자 하는 이유

나는 10년마다 새로운 도전을 하며 살아왔다. 20대에는 외국에서 다양한 경험을 쌓고, 30대에는 한국에 돌아와 봉사활동과 영어교육사업을 시작했다. 39살이 되어 40대에는 정치에 도전해 10년간 활동했다. 그리고 48살이 된 지금, 사회의 무거운 책임감과 열심히 살아온 결과로 번아웃을 경험하고 있다. 이런 상황에서 나는 다시 나를 찾기 위한 여정을 시작하게 되었고, 그 과정을 기록하고자 이 책을 쓰게 되었다.

외국에서의 도전

20대의 나는 세상에 대한 호기심과 도전정신으로 가득 차 있었다. 일본, 호주, 영국 등 다양한 나라에서 생활하며 새로운 사람들을 만나고, 다양한 문화를 경험했다. 이 시기는 나에게 무한한 가능성을 열어주었고, 나의 한계를 시험하는 시간이기도 했다. 외국에서의 생활은 나에게 독립심과 자기 주도성을 키워주었고, 다양한 관점에서 세상을 바라보는 법을 배웠다. 그러나 이런 다채로운 경험 속에서도 나는 나 자신이 누구인지에 대한 질문을 끊임없이 던졌다. 내가 진정으로 원하는 것이 무엇인지, 어떤 삶을 살고 싶은지에 대한 답을 찾기 위해 노력했다.

한국에서의 봉사활동과 영어교육사업

30대에 한국으로 돌아온 나는 새로운 도전에 나섰다. 봉사활동을 통해 다양한 사람들을 만나고, 그들의 삶을 이해하며 보람을 느꼈다. 봉사활동은 나에게 인간관계의 중요성과 상호작용의 가치를 일깨워주었고, 타인의 삶에 긍정적인 영향을 미칠 수 있다는 자신감을 심어주었다. 또한, 영어교육사업을 시작하면서 나의 지식과 경험을 다른 사람들과 나누는 기쁨을 느꼈다. 이 과정에서 나는 많은 사람들에게 영감을 주고, 그들이 목표를 이루도록 돕는 데 큰 보람을 느꼈다. 그러나 이러한 외적인 성취에도 불구하고, 나 자신이 진정으로 원하는 삶에 대한 질문은 여전히 남아 있었다.

정치에 도전하다

39살이 되어 40대에 접어든 나는 정치에 도전했다. 광주광역시 북구의회 의원으로 활동하며 8년간 다양한 경험을 쌓았다. 정치 활동을 통해 나는 사회의 구조와 정책 결정 과정을 깊이 이해하게 되었고, 주민들의 삶에 직접적인 영향을 미치는 일에 참여했다. 이 과정에서 많은 성취감을 느꼈지만, 동시에 큰 책임감과 스트레스도 함께했다. 정치인으로서의 삶은 끊임없는 노력과 책임감을 요구했고, 나는 점점 지쳐갔다. 그렇게 나는 번아웃이 되었다.

이 책을 쓰게 된 동기

번아웃은 나에게 큰 충격을 주었다. 몸과 마음이 모두 지쳐버린 상태에서 더 이상 앞으로 나아갈 힘을 잃었다. 이 시점에서 다시 한번 나 자신을 돌아보게 되었다. 과거의 도전들이 나에게 많은 성장을 안겨주었지만, 동시에 나는 진정한 나를 잃어가고 있었다는 것을 깨달았다. 내가 정말로 원하는 것은 무엇인지, 내가 진정으로 추구해야 할 가치는 무엇인지에 대한 답을 찾지 못한 채 외부의 기대와 요구에 맞춰 살아왔던 것이다.

새로운 도전의 시작

번아웃을 통해 나는 나 자신을 더 깊이 이해하고, 진정한 나를 발견할 필요성을 절감하게 되었다. 그동안 사회의 요구와 타인의 기대에 부응하며 살아왔지만, 이제는 나 자신이 무엇을 원하고 어떤 삶을 살고 싶은지에 대해 명확히 하고 싶다. 나를 찾기 위한 여정은 새로운 도전의 시작이었다.

오랜 시간 동안 나는 외부의 소리에 귀를 기울였다. 사회가 요구하는 모습, 타인이 기대하는 역할에 맞춰 살아왔다. 하지만 번아웃을 경험하면서 나는 내면의 소리를 듣는 것이 얼마나 중요한지 깨달았다. 진정한 나를 찾기 위해서는 내면의 목소리에 귀를 기울이고, 내가 진정으로 원하는 것이 무엇인지에 집중해야 한다.

그동안의 도전들은 나에게 많은 성취감을 안겨주었지만, 그것이 나의 삶의 의미를 완전히 채워주지는 못했다. 나는 나의 삶이 어떤 의미를 지니는지, 무엇을 위해 살아가고 있는지에 대해 다시 생각해보고 싶다. 진정한 삶의 의미를 찾기 위해서는 나의 가치와 비전을 명확히 하고, 그것에 따라 행동하는 것이 필요하다.

번아웃을 통해 나는 나의 한계를 경험했다. 하지만 동시에 그것은 나에게 새로운 성장과 발전의 기회를 제공했다. 나를 찾는 과정에서 나는 새로운 도전과 배움을 통해 나 자신을 더욱 성장시키고 싶다. 이는 단순히 외적인 성취를 넘어서, 내적인 성장을 추구하는 과정이 될 것이다.

그동안의 도전들은 나에게 많은 보람과 만족을 안겨주었다. 하지만 진정한 행복은 외부의 성취에서 오는 것이 아니라, 내면의 만족과 평화에서 온다는 것을 깨달았다. 나를 찾는 과정에서 나는 진정한 행복을 추구하고, 내면의 평화를 이루기 위해 노력할 것이다.

번아웃을 경험하면서 나는 삶의 균형이 얼마나 중요한지 깨달았다. 그동안 나는 일과 책임에 너무 집중한 나머지, 나 자신을 돌보는 데 소홀했다. 이제는 일과 휴식, 개인적인 성장과 사회적 책임 사이에서 균형을 찾고, 건강한 삶을 살기 위해 노력할 것이다.

책을 통해 나를 표현하다

이 책을 쓰게 된 또 다른 이유는 나의 경험과 깨달음을 다른 사람들과 나누고자 하는 마음에서 비롯되었다. 나의 이야기가 같은 고민을 하는 사람들에게 작은 도움이 되기를 바란다.

내가 겪은 경험과 깨달음을 다른 사람들과 나누고자 하는 마음이 이 책을 쓰게 된 가장 큰 동기이다. 나와 같은 고민을 하는 사람들에게 나의 이야기가 작은 도움이 되기를 바란다. 나 자신을 찾는 과정에서 겪은 어려움과 극복의 과정을 통해, 많은 이들이 자신을 발견하고, 나다운 삶을 살아갈 수 있도록 돕고 싶다.

이 책을 쓰는 과정은 나 자신에게도 큰 의미가 있다. 글쓰기를 통해 나는 나의 생각과 감정을 정리하고, 나 자신을 이해하며, 치유할 수 있었다. 번아웃을 극복하고, 새로운 에너지를 얻기 위해서는 나 자신을 깊이 들여다보고, 내면의 목소리에 귀를 기울이는 것이 필요했다. 이 책은 그런 과정의 결과물이다.

나와 같은 길을 걷고 있는 많은 사람들에게 영감을 주고, 용기를 북돋아주기 위해 이 책을 쓰게 되었다. 나 자신을 찾는 과정은 쉽지 않다. 그러나 그 과정에서 우리는 진정한 나를 발견하고, 나다운 삶을 살아갈 수 있다. 이 책이 그러한 여정에 작은 등불이 되기를 바란다.

2장. 나를 관찰하기

일상 속에서 나를 관찰하는 방법

번아웃을 겪고 난 후, 나는 반응을 분석할 만한 마음의 여유도 없었다. 너무 지쳐있었기 때문에 나는 먼저 휴식을 취해야 했다. 휴식은 나에게 새로운 생명을 불어넣는 중요한 시간이었다. 휴식의 시간 동안 나는 일단 모든 것을 내려놓고, 나 자신을 돌보는 데 집중했다.

"때로 아무것도 하지 않는 것이 가장 치열히 하는 것이다"

번아웃을 경험한 나는 더 이상 앞으로 나아갈 힘이 없었다. 쉼이 필요했다. 아무것도 하지 않고 그냥 있는 것, 그것이 나에게 필요한 시간이었다. 이 시간 동안 나는 아무런 책임도, 의무도 없이 그냥 나 자신에게 집중할 수 있었다.

나는 자연 속에서 휴식을 취하며 마음을 치유했다. 공원에서 산책을 하거나, 산이나 바다로 떠나 자연과 함께하는 시간을 가졌다. 자연은 나에게 큰 위로와 평안을 주었다. 자연 속에서 나는 나 자신을 다시 발견할 수 있었다.

자발적 고독의 선택

나는 자발적으로 고독을 선택했다. 혼자만의 시간을 가지며 나는 나 자신과 대면할 수 있는 기회를 가졌다. 고독은 나에게 내면의 소리에 귀 기울이고, 나의 진정한 욕구와 감정을 들여다볼 수 있는 기회이다.

기록도 했다. 블로그나 감정 일기는 나의 감정을 기록하고 분석하는 데 큰 도움이 되었다. 매일은 아니였지만 감정과 그 감정을 불러일으킨 사건을 기록함으로써 나는 나의 감정 패턴을 파악할 수 있었다. 기록 일기는 나 자신과의 대화를 가능하게 해주었고, 나의 내면을 깊이 들여다볼 수 있는 기회를 제공했다. 글을 쓰는 과정에서 나는 나의 감정이 어떻게 변화하는지, 어떤 상황에서 어떤 감정을 느끼는지를 더 잘 이해할 수 있었다.

명상은 나를 관찰하는 데 매우 효과적인 도구였다. 명상을 통해 나는 나의 생각과 감정을 고요히 바라볼 수 있었고, 그것을 판단하지 않고 받아들일 수 있었다. 명상은 나에게 내면의 평화를 가져다주었고, 나 자신을 더 깊이 이해할 수 있게 해주었다. 자기 성찰은 명상과 함께 이루어질 수 있는 중요한 과정으로, 나의 행동과 선택을 되돌아보고 그것이 나의 가치와 일치하는지 확인하는 데 도움이 되었다.

일상 속의 작은 변화 관찰하기

나를 관찰하기 위해서는 일상 속의 작은 변화를 주의 깊게 살펴보는 것이 중요했다. 나의 반응, 행동, 감정의 변화를 인식하고 그것이 어떤 원인에 의해 발생했는지 분석하는 과정은 나를 이해하는 데 큰 도움이 되었다.

나는 매일 일어날 때의 기분과 상태를 체크했다. 아침에 느끼는 감정과 생각은 하루의 시작을 의미하기 때문에 중요한 지표가 되었다. 아침 루틴을 관찰함으로써 나는 나의 하루가 어떻게 시작되는지, 어떤 요소가 나의 기분과 에너지에 영향을 미치는지를 알 수 있었다.

식습관과 몸의 반응 관찰하기

내가 먹는 음식과 그에 대한 몸의 반응을 관찰했다. 그동안 바쁘게 살았고 환경상 집에서 요리해서 식사를 할 일은 별로 없었다. 그래서 내가 즐기지 않는 것이 요리이다. 안하다보니 점점 더 못했고 하기 싫었다. 그러나 어느새 나도 중년이 되어서인지 밖에서만 먹는 음식으로는 나의 건강을 책임질 수 없다는 것을 느꼈다. 그러면서 요리를 하기 시작했다. 요리를 하다보니 왜 어른들이 집밥 집밥 하는지 알 수 있었다.집밥을 먹다보니 언제부터가 밖에서 먹는 것이 거부감이 들 정도 였다. 식습관은 나의 건강과 기분에 직접적인 영향을 미치고 있었다. 나는 나에게 맞는 건강한 식습관을 찾아가고 있었다.

운동과 몸의 반응 관찰하기

운동은 나의 몸과 마음에 큰 영향을 미쳤다. 나는 어떤 운동을 했을 때 기분이 좋아지는지, 어떤 운동이 나에게 맞는지를 관찰했다. 그래서 헬스와 필라테스 그리고 사우나를 선택했다. 운동 후의 기분과 몸의 상태를 기록함으로써 나는 나에게 가장 효과적인 운동 방식을 찾을 수 있었다.

관계 속에서 나를 관찰하기

나를 관찰하는 과정에서 인간관계도 중요한 요소였다.
나는 나와 타인의 상호작용을 관찰하며 나의 행동과 반응을 분석했다.

대화 패턴 관찰하기: 나는 대화 중에 나의 반응과 감정을 관찰했다. 특정한 상황에서 내가 어떻게 반응하는지, 어떤 대화에서 불편함을 느끼는지를 기록했다. 이를 통해 나는 나의 커뮤니케이션 스타일을 이해하고, 더 나은 소통 방식을 찾을 수 있었다.

수면 패턴 관찰하기: 수면은 나의 건강과 기분에 큰 영향을 미쳤다. 나는 매일 수면 시간을 기록하고, 수면의 질을 관찰했다. 이를 통해 나는 나에게 가장 적합한 수면 패턴을 찾고, 건강한 수면 습관을 유지할 수 있었다.

번아웃을 극복하고 나를 찾기 위해서, 나는 일상 속에서 나를 관찰하는 방법을 터득했다. 글 쓰기, 명상과 자기 성찰, 일상 속의 작은 변화 관찰하기, 관계 속에서 나를 관찰하기, 수면 패턴 관찰하기 등의 방법을 통해 나는 나 자신을 더 깊이 이해할 수 있었다. 이 과정을 통해 나는 진정한 나를 발견하고, 나답게 살아갈 수 있는 길을 찾을 수 있었다. 나를 관찰하는 것은 단순히 나의 행동을 기록하는 것이 아니라, 나의 내면을 깊이 들여다보고, 나 자신을 이해하며 성장하는 과정이었다.

자발적 일탈 속에서 건강한 방황의 가치를 깨달아가고 있다.

그 길의 끝에서...
"있는 그대로의 나 자신과 만남"을 기대한다.

양일옥의 페이스북 (23.9.16)

3장. 나다운 글쓰기

나의 이야기를 글로 표현하는 시간

번아웃을 경험하고 휴식을 취하면서 나는 나 자신을 돌아보는 시간을 가졌다. 그 과정에서 나는 내 삶의 이야기를 글로 써내려가기로 결심했다. 나의 경험과 생각을 정리하는 것은 나 자신을 이해하고, 나다운 삶을 살아가는 데 큰 도움이 되었다.

번아웃 상태에서 나는 삶의 의미를 잃어버린 듯한 기분이었다. 모든 것이 무의미하게 느껴졌고, 더 이상 앞으로 나아갈 힘이 없었다. 그러던 중, 나는 내 삶을 되돌아보며 나 자신을 이해할 필요성을 느꼈다. 그동안 바쁘게 살아오느라 미처 돌아보지 못한 나의 과거와 경험들을 정리하고 싶었다. 글쓰기는 나에게 그러한 과정을 가능하게 해줄 도구였다.

처음에는 단순히 일기를 쓰는 것에서 시작했다. 매일매일의 감정과 생각을 기록하면서, 나는 점점 나의 내면을 더 깊이 들여다보게 되었다. 일기는 나에게 감정의 배출구가 되었고, 나의 혼란스러운 생각들을 정리하는 데 큰 도움이 되었다. 일기를 쓰다 보니, 더 나아가 나의 삶 전체를 글로 기록하고 싶은 욕구가 생겼다. 그렇게 나는 나의 이야기를 책으로 써내려가기로 결심했다.

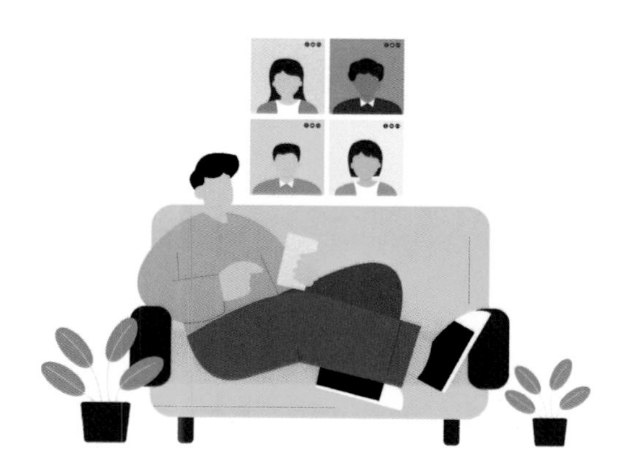

번아웃을 경험하고 휴식을 취하면서, 나는 내가 얼마나 많은 사람들의 도움을 받아왔는지를 깨닫게 되었다. 내 삶을 돌아보니, 나의 성취는 결코 나 혼자만의 힘으로 이루어진 것이 아니었다. 20대에는 외국에서 많은 것을 배우고 경험할 수 있었던 것도, 30대에는 봉사활동과 사업을 통해 많은 돈을 벌 수 있었던 것도, 40대에는 어린 나이에 10여 년간 의원으로 정치활동을 할 수 있었던 것도 모두 나를 도와준 사람들 덕분이었다.

나는 주제를 '인간관계'로 정했다. 글쓰기를 하면서 나는 나의 삶을 더욱 객관적으로 바라볼 수 있었다. 나의 성취 뒤에는 언제나 나를 도와준 사람들이 있었다. 그들의 도움과 지지 덕분에 나는 나의 꿈을 이룰 수 있었다. 그렇게 나는 나의 삶을 돌아보면서 내가 잘하는 것이 인간관계라는 것을 깨달았다. 이 주제를 통해 나는 나의 경험을 나누고, 다른 사람들에게도 도움이 되고자 했다.

글쓰기는 나에게 큰 치유와 회복의 시간을 안겨주었다. 번아웃을 겪으며 힘들었던 순간들을 다시 떠올리고 그것을 글로 표현하는 과정에서, 나는 상처를 치유할 수 있었다. 글쓰기는 나에게 감정의 배출구가 되었고, 나의 마음을 회복하는 데 큰 도움이 되었다. 글을 쓰는 동안, 나는 나의 감정과 경험을 독자들에게 어떻게 전달할지에 대해 많은 고민을 했다. 단순히 사건을 나열하는 것이 아니라, 그 속에서 내가 느낀 감정과 생각을 솔직하게 표현하고자 했다. 나의 이야기를 통해 독자들이 공감하고, 그들의 삶에도 긍정적인 변화를 가져올 수 있기를 바랐다.

나는 ‘휴먼 레버리지’라는 책을 썼다. 나에게 휴먼 레버리지를 쓰는 시간은 감사함 이였다. 내 삶을 돌아보니 평범한 내가 참 많은 것을 이루었음을 깨달았다. 20대에는 외국에서 많은 것을 배우고 경험했고, 30대에는 봉사활동과 사업을 통해 많은 돈을 벌었으며, 40대에는 어린 나이에 10여 년간 의원으로 정치 활동을 했다. 돌이켜보면, 이러한 모든 성취는 나 혼자만의 힘으로 이룬 것이 아니었다. 많은 사람들이 나를 도와주었고, 그들의 도움 덕분에 나는 지금의 내가 될 수 있었다. 글쓰기를 통해 나는 나의 삶을 더욱 객관적으로 바라볼 수 있었다.

이렇게 글쓰기는 나를 더욱 겸손하게 만들었고, 나의 삶을 더욱 풍요롭게 해주었다.

사람은 스무 살에는 공작, 서른 살에는 사자,
마흔 살에는 낙타, 쉰 살에는 닭, 예순 살에는 개,
일흔 살에는 원숭이가 되고, 여든 살에는 아무것도 아니다.

양일옥의 페이스북 (23.9.23)

글쓰기를 통한 자기 발견과 성장

글쓰기를 통해 나는 나 자신을 더욱 깊이 이해하고, 성장할 수 있었다. 나의 경험과 감정을 글로 표현하면서, 나는 나 자신과의 대화를 통해 새로운 통찰을 얻었다. 글쓰기는 단순한 기록을 넘어, 나 자신을 재발견하고 성장시키는 과정이었다.

글쓰기를 시작하면서 나는 내면의 깊은 곳에서부터 감정과 생각을 끄집어내기 시작했다. 때로는 과거의 상처와 마주하는 것이 두렵기도 했지만, 그 과정을 통해 나는 치유와 회복을 경험할 수 있었다. 글쓰기는 나에게 감정의 배출구가 되어주었고, 나의 상처를 치유하는 데 큰 도움이 되었다.

또한, 글쓰기를 통해 나는 나의 가치와 비전을 재정립할 수 있었다. 나의 삶을 돌아보며, 무엇이 나에게 진정한 행복과 만족을 가져다주는지에 대해 깊이 생각하게 되었다. 나는 글을 쓰면서 나의 가치와 비전을 명확히 하고, 그것을 바탕으로 나다운 삶을 살아가고자 결심했다.

글쓰기는 나에게 큰 성장의 기회를 제공했다. 나의 이야기를 정리하고 그것을 통해 다른 사람들에게 메시지를 전달하는 과정에서, 나는 나 자신을 더욱 성장시킬 수 있었다. 글쓰기는 나에게 새로운 도전이었고, 그것을 통해 나는 한 단계 더 나아갈 수 있었다. 글쓰기를 통해 얻은 통찰과 깨달음은 나의 삶을 더욱 풍요롭게 만들어주었다.

글쓰기를 통해 나는 나의 이야기를 세상에 전할 수 있었다. 나의 경험과 감정을 솔직하게 표현하며, 나는 많은 사람들과 공감대를 형성할 수 있었다. 나의 이야기를 통해 다른 사람들이 용기와 희망을 얻을 수 있기를 바랐다. 글쓰기는 나에게 단순한 기록이 아닌, 소통과 공감의 도구가 되었다.

글쓰기는 나에게 큰 치유와 성장을 안겨주었고, 앞으로도 나의 삶에 중요한 역할을 할 것이다.

4장. 강점 발견하기

나의 강점을 찾는 방법

번아웃을 경험한 후, 나는 나 자신을 발견하기 위해 혼자 있는 시간을 선택했다. 여러분들에게도 혼자만의 시간(혼생의 시간)을 강추한다. 혼자만의 시간을 통해 나는 내면의 소리를 듣고, 나를 깊이 들여다보는 기회를 가질 수 있었다. 이런 혼생의 시간은 내가 나의 위치를 명확히 파악하고, 나 자신을 인정하게 만드는 중요한 시간이다.

현재 위치 파악하기

강점을 찾기 위해서는 먼저 현재 나의 위치를 파악하는 것이 중요했다. 소크라테스가 말한 "너 자신을 알라"라는 말이 있다. 그 말은 즉 '주제 파악을 해라' 이 말이다. 우리가 산을 올라간다고 했을 때 당신은 무엇부터 생각할래요? 산 정산 높이, 코스, 등등을 살필 수 있다. 그러나 나는 현재 위치부터 파악하는 것이 중요하다고 생각한다.

번아웃 후 나는 몸과 마음이 얼마나 지쳐있는지를 깨달았다. 그리고 이제 나도 중년으로 체력이 옛날 같지 않다. 내 몸은 이제 먹어주지 않으면 힘이 없고 잠이 부족하면 머리가 어지럽다. 방금 배운것도 돌아서면 잊어버리는 상황에 대해서도 당황스럽지 않는다. 그렇게 나는 나의 강점과 약점을 모두 인정한다.

나 자신을 인정하기

나 자신을 인정하는 과정은 나의 강점을 찾는 데 큰 도움이 되었다. 우리는 종종 자신의 단점이나 실패에만 집중하는 경향이 있다. 그러나 나는 나의 성공과 성취를 인정하고, 그것을 소중히 여기는 법을 배우기로 했다. 왜냐면 나는 당당한 나를 좋아한다. 이를 위해 나는 내가 잘한 것들을 리스트로 만들어 보았다.

첫 번째 20대의 일본, 호주, 영국에서 다양한 문화를 배우고 사람들과 교류한 경험한 것. 두 번째 한국에 돌아와 30대부터 봉사활동을 통해 다양한 사람들을 만나고 세 번째 영어교육 사업을 성공적으로 운영하며 많은 사람들에게 도움을 준 것 다섯 번째 40대에 광주광역시 북구의회 의원으로 8년간 활동하며 많은 성과를 이뤄냈던 점 여섯 번째 50세를 앞두고 정치 계속 안하고 휴식을 통해 나 자신을 재충전하고 회복할 수 있었다는 점 일곱 번째 나의 경험과 생각을 담아 자기계발서를 출간한 점. 여덟 번째 배움을 게으르 하지 않고 새로운 것 배운점.아홉번째 정부지원 사업 신청해서 출판사 도전한 것. 열 번째 나답게 살기로 결정한 것.

여러분도 내가 잘 한 것 10개를 정리해보세요. 생각보다 꽤 효과있습니다.

이 리스트를 통해 나는 내가 그동안 이룬 성취와 긍정적인 경험을 다시금 확인할 수 있었다. 이는 나에게 큰 자신감을 주었고, 나의 강점을 더욱 명확히 인식하는 데 도움이 되었다.

혼자 있는 시간의 의미

혼자 있는 시간은 나에게 큰 깨달음을 주었다. 고독 속에서 나는 나의 내면을 들여다볼 수 있었고, 진정한 나를 발견할 수 있었다. 혼자 있는 시간은 나에게 자기 성찰과 명상의 기회를 주었고, 이를 통해 나는 나의 강점을 명확히 인식하게 되었다.

글쓰기를 통한 감사의 발견

글쓰기는 나에게 감사의 마음을 일깨워주는 중요한 도구였다. 나는 나의 경험과 감정을 글로 표현하면서, 나를 도와준 사람들과 나의 삶의 여정에 대해 감사하게 되었다. 글쓰기가 책쓰기로 이어질 수 있었다. 책쓰기를 통해 나는 나 자신을 다시 발견하고, 내 삶의 소중한 부분들을 더욱 깊이 이해할 수 있었다. 책은 읽는 것이 아니라 쓰는 것이다라는 말을 격하게 공감한다.

멘토와의 만남

강점을 찾는 과정에서 나는 나를 이해하는 데 도움을 줄 수 있는 멘토를 만났다. 멘토는 나의 경험과 생각을 나누며, 나에게 필요한 조언과 지지를 아끼지 않았다. 멘토의 지혜와 통찰은 나에게 큰 도움이 되었고, 나의 강점을 더욱 명확히 인식하게 되었다.

어느 날, 멘토는 나에게 말했다. "너는 정말 사람들을 잘 이해하고, 그들의 감정을 잘 읽어. 너와 이야기하면 마음이 편안해져." 이 말은 나에게 큰 깨달음을 주었다. 내가 사람들과의 관계에서 보여주는 공감 능력과 이해심이 나의 중요한 강점임을 깨닫게 되었다.

멘토를 꼭 만드세요.

새로운 도전과 에너지

강점을 발견하고 감사의 마음으로 무장하자, 나는 다시 도전할 수 있는 에너지를 얻었다. 나의 강점을 활용하여 새로운 목표를 설정하고, 그것을 이루기 위해 노력하기로 결심했다. 이 과정에서 나는 나 자신에 대한 확신과 자존감을 키울 수 있었다. 강점을 활용한 도전은 나에게 큰 만족감과 성취감을 주었고, 나의 삶을 더욱 의미 있게 만들어주었다.

강점을 활용해 나를 더 잘 이해하기

강점을 발견한 후, 그것을 어떻게 활용할 것인가에 대한 고민이 시작되었다. 나는 나의 강점을 최대한 활용해 나를 더 잘 이해하고, 나다운 삶을 살아가고자 했다. 이 과정에서 나는 나의 강점을 다양한 방식으로 활용하며, 나 자신을 더욱 깊이 이해하게 되었다.

일상에서 강점 활용하기

나는 나의 강점을 일상에서 활용하는 방법을 찾기 시작했다. 나는 새로운 것을 배우는 것을 좋아하고, 공부할 때 게으르지 않다. 그래서 나는 매일 시간을 내어 새로운 것들을 공부하고, 최신 트렌드를 연구하기 시작했다. 이러한 과정은 나에게 지적 자극을 주었고, 나의 지식을 확장시키는 데 큰 도움이 되었다.

또한, 사람들과의 관계에서 나의 강점을 발휘하고자 했다. 나는 사람들의 이야기를 듣고, 그들의 감정을 이해하며, 그들과 깊은 대화를 나누는 것을 즐겼다. 이를 통해 나는 사람들과의 관계를 더욱 깊고 의미 있게 만들 수 있었다. 사람들은 나와의 대화에서 위로와 공감을 얻었고, 나 역시 그들의 이야기를 통해 많은 것을 배울 수 있었다.

나는 내 삶 자체가 개인 브랜딩이라는 것을 깨달았다. 내가 만나는 사람들, 내가 하는 일, 내가 배우는 모든 것이 나의 브랜딩 요소가 되었다. 나는 이러한 인식을 바탕으로 나의 강점을 최대한 활용해 나를 이해하고, 나다운 삶을 살아가고자 했다.

다양한 경험과 새로운 도전

나는 다양한 경험과 도전을 통해 나의 강점을 더욱 강화했다. 현재의 트렌드를 학습하는 과정에서, 나는 생성형 인공지능을 공부하기 시작했다. 동시에 유튜브에서 활동을 시작하고, 블로거로서도 활동하며 내 목소리를 세상에 전했다. 또 다른 도전으로, 나는 종합미용면허증 자격을 취득하고, 평생 교육사 자격증도 휴식기간에 취득했다. 이러한 다양한 활동은 나에게 새로운 지식을 쌓을 수 있는 기회를 제공했고, 내가 인공지능 시대에 필요한 사람이 되기 위해 꾸준히 노력하게 했다.

강점을 통한 자기 이해

강점을 활용하는 과정에서 나는 나 자신을 더욱 깊이 이해하게 되었다. 나는 나의 강점을 통해 나의 가치와 비전을 명확히 할 수 있었다. 예를 들어, 나는 사람들과의 관계에서 공감과 이해를 중요하게 생각했다. 이를 통해 나는 나의 삶의 방향을 설정하고, 나다운 삶을 살아가고자 했다.

강점을 활용하는 과정에서 나는 나의 한계와 약점도 인식하게 되었다. 이는 나에게 큰 성장을 가져다주었다. 나는 나의 강점을 최대한 발휘하면서, 나의 약점을 보완하기 위해 노력했다. 이를 통해 나는 더욱 균형 잡힌 삶을 살아갈 수 있었다.

강점을 활용한 목표 설정

나는 나의 강점을 바탕으로 목표를 설정하고, 그것을 이루기 위해 노력했다. 예를 들어, 나는 책쓰기를 통해 나의 이야기를 세상에 전하고자 했다. 이를 위해 나는 책쓰기 목표를 설정하고, 매일 꾸준히 글을 썼다. 이 과정에서 나는 나의 강점을 최대한 활용할 수 있었고, 그것을 통해 많은 성취를 이룰 수 있었다.
강점을 활용한 목표 설정은 나에게 큰 동기부여가 되었다.

5장. 꿈 리스트 작성하기

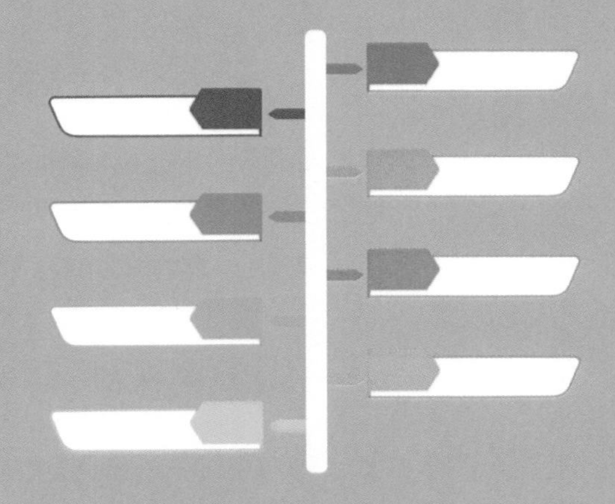

내가 진정으로 원하는 것은 무엇인가?

인생의 어느 시점에서 우리는 모두 스스로에게 "내가 진정으로 원하는 것은 무엇인가?"라는 질문을 던지게 된다. 이 질문은 간단해 보이지만, 그 답을 찾기 위해서는 깊이 있는 자기 성찰과 시간이 필요하다. 나 역시 번아웃을 겪은 후, 나 자신에게 이 질문을 던졌고, 그 답을 찾기 위해 2년이 걸렸다.

내가 진정으로 원하는 것이 무엇인지 알아내기 위해서는 먼저 나의 가치관, 관심사, 그리고 열정을 탐구해야 했다. 나는 혼자만의 시간을 통해 내면의 소리를 듣고, 진정한 나의 욕구를 발견하려 노력했다. 이러한 과정은 나를 더 깊이 이해하고, 나의 꿈과 목표를 명확히 하는 데 큰 도움이 되었다.

내가 진정으로 원하는 것을 찾기 위해, 나는 다음과 같은 질문들을 스스로에게 던져보았다.

I am brave

내가 가장 행복했던 순간은 언제인가?
나는 어떤 일을 할 때 가장 보람을 느끼는가?
나는 어떤 가치를 가장 중요하게 생각하는가?
나의 열정은 어디에 있는가?
나는 어떤 환경에서 가장 잘 성장하는가?

이러한 질문들은 나의 진정한 욕구를 파악하는 데 큰 도움이 되었다. 나는 나의 경험을 돌아보며, 내가 무엇을 소중히 여기고, 무엇에 열정을 가지고 있는지 깨달았다. 이러한 자기 성찰을 통해, 나는 나의 꿈과 목표를 구체화할 수 있었다.

꿈 리스트를 작성하며 나의 바람을 구체화하는 과정

꿈 리스트를 작성하는 것은 나의 꿈과 목표를 명확히 하고, 그것을 실현하기 위한 첫걸음이었다. 꿈 리스트를 작성하는 과정은 단순히 내가 원하는 것을 나열하는 것이 아니라, 그것을 구체적으로 실현할 수 있는 방법을 계획하는 과정이었다. 나는 꿈 리스트를 통해 나의 바람을 구체화하고, 그것을 이루기 위한 구체적인 계획을 세웠다.

꿈 리스트 작성하기

꿈 리스트를 작성하기 위해, 나는 먼저 내가 진정으로 원하는 것들을 생각해보았다. 이 과정은 나의 가치관과 열정을 바탕으로, 내가 이루고 싶은 목표들을 나열하는 것이었다. 나는 다음과 같은 항목들을 꿈 리스트에 포함시켰다.

I can do this

지속적인 학습과 성장: 새로운 기술을 배우고, 지식을 확장하는 것.
전문적 성취: 내 분야에서 인정받는 전문가가 되는 것.
건강과 웰빙: 신체적, 정신적 웰빙을 증진시키는 것.
인간관계: 신뢰감 쌓기, 새로운 사람들을 만나는 것.
창의적 활동: 창의적인 활동을 통해 나의 열정을 표현하는 것.
사회적 기여: 사회에 긍정적인 영향을 미치는 것.

이러한 꿈 리스트는 나의 가치와 열정을 반영한 것으로, 나에게 큰 의미를 부여했다. 그러나 이러한 목표들을 실현하기 위해서는 단순한 나열이 아닌, 구체적인 계획이 필요했다. 꿈 리스트를 작성하고 그것을 구체화하는 과정은 나에게 큰 동기부여가 되었고, 나의 목표를 향해 나아가는 데 큰 도움이 되었다.

좋아하는 일과 해야 하는 일의 차이

꿈을 구체화하는 과정에서, 나는 좋아하는 일(LIKE 일)과 해야 하는 일(MUST 일)의 차이를 명확히 이해하는 것이 중요하다는 것을 깨달았다. 좋아하는 일은 내가 열정을 느끼고 즐거움을 찾는 일이지만, 반드시 돈을 벌 수 있는 것은 아니다. 반면, 해야 하는 일은 생계를 유지하기 위해 필요한 일로, 종종 경제적 안정성을 제공한다.

많은 사람들이 좋아하는 일만으로 생계를 유지하려는 꿈을 꾸지만, 현실은 그렇게 간단하지 않다. 나 역시 내가 좋아하는 일만으로 생계를 유지하려는 꿈을 꾼 적이 있다. 그러나 현실적인 관점에서 보았을 때, 좋아하는 일만으로 바로 돈을 벌기는 쉽지 않았다.

따라서 나는 좋아하는 일과 해야 하는 일을 균형 있게 조절하는 방법을 찾기로 했다. 우선, 나는 해야 하는 일을 통해 안정적인 수입을 확보하고, 남는 시간을 활용해 좋아하는 일을 추구하기로 했다. 이렇게 함으로써 나는 경제적인 안정성을 유지하면서도, 내가 진정으로 좋아하는 일을 할 수 있는 시간을 확보할 수 있었다.

나만의 강점을 활용하기

꿈을 구체화하는 과정에서, 나는 다른 사람들의 트렌드나 기대에 따라 목표를 설정하는 대신, 나의 강점과 열정을 바탕으로 목표를 설정하기로 했다. 이는 내가 진정으로 잘하는 일을 통해 성취감을 얻고, 더 큰 성공을 이룰 수 있는 길이었다.

나는 다양한 경험과 도전을 통해 나의 강점을 발견했고, 그것을 최대한 활용하기로 결심했다. 예를 들어, 나는 생성형 인공지능을 공부하면서 새로운 기술을 익혔다. 이러한 새로운 기술과 지식을 통해, 나는 좋아하는 일을 통해 수익을 창출할 수 있는 다양한 기회를 발견했다.유튜브와 블로그를 통해 나의 지식과 경험을 공유했다. 이러한 활동들은 나의 창의성과 커뮤니케이션 능력을 발휘할 수 있는 좋은 기회가 되었다.

또한, 휴식을 통해서 나는 미용사 자격증을 취득하고, 평생교육 학위를 얻는 등의 다양한 도전을 통해 나의 역량을 확장했다. 이러한 노력들은 나의 강점을 더욱 강화하고, 나를 더욱 다재다능한 사람으로 만들어 주었다.

6장. 가치와 비전 세우기

내가 중요하게 생각하는 가치와 비전 설정

인생의 중요한 순간마다 우리는 나아갈 방향을 정하기 위해 자신의 가치와 비전을 돌아보게 된다. 나의 가치와 비전은 나의 삶을 이끄는 나침반과도 같았다. 이를 명확히 하는 과정은 나의 목표를 설정하고, 그것을 이루기 위한 구체적인 계획을 세우는 데 큰 도움이 되었다.

나의 가치 설정
가치는 우리가 중요하게 여기는 원칙이나 신념이다. 이는 우리가 삶에서 무엇을 우선시할지, 어떤 결정을 내릴지에 영향을 미친다. 나의 가치를 설정하기 위해 나는 다음과 같은 질문을 스스로에게 던져보았다.

내가 가장 중요하게 생각하는 것은 무엇인가?
나는 어떤 원칙에 따라 행동하는가?
나의 결정과 행동은 어떤 신념에 기반을 두고 있는가?
내가 추구하는 삶의 모습은 무엇인가?
이 질문들을 통해 나는 나의 가치를 명확히 할 수 있었다.

나의 비전 설정

비전은 우리가 미래에 이루고자 하는 목표나 꿈을 의미한다. 이는 우리가 나아가야 할 방향을 제시하며, 우리의 행동과 결정을 이끄는 중요한 역할을 한다. 나의 비전을 설정하기 위해 나는 다음과 같은 질문을 스스로에게 던져보았다.

나는 5년 후, 10년 후에 어떤 모습이 되고 싶은가?
나는 어떤 목표를 이루고 싶은가?
나의 삶의 궁극적인 목적은 무엇인가?
내가 이루고자 하는 꿈은 무엇인가?
이 질문들을 통해 나는 나의 비전을 명확히 할 수 있었다.

가치와 비전이 삶에 미치는 영향

가치와 비전은 우리의 행동과 결정을 이끄는 나침반 역할을 하며, 우리가 나아가야 할 방향을 제시한다. 가치와 비전을 명확히 하는 것은 우리의 목표를 설정하고, 그것을 이루기 위한 구체적인 계획을 세우는 데 큰 도움이 된다.

가치를 통해 삶의 방향 설정

내가 중요하게 생각하는 가치들을 명확히 함으로써, 나는 내가 어떤 삶을 살아가고 싶은지를 명확히 할 수 있었다. 정직, 지속적인 학습과 성장, 사회적 기여라는 나의 가치는 내가 매일의 행동과 결정을 내리는 데 있어 중요한 기준이 되었다.

이 가치는 내가 어떤 상황에 처하더라도 나의 길을 잃지 않도록 도와주었다. 예를 들어, 나는 중요한 결정 앞에서 항상 나의 가치를 떠올리며 그것에 맞는 선택을 하려고 노력했다. 이는 나에게 일관성을 부여하고, 나 자신에게 진실한 삶을 살아가도록 도와주었다.

비전을 통해 목표 설정과 달성

비전은 우리가 이루고자 하는 궁극적인 목표를 제시한다. 이는 우리가 매일의 행동과 결정을 통해 나아가야 할 방향을 제시하며, 우리에게 동기부여를 제공한다. 나의 비전을 명확히 함으로써, 나는 나의 목표를 설정하고, 그것을 이루기 위한 구체적인 계획을 세울 수 있었다.

예를 들어, 전문가로서의 성장은 나의 주요 비전 중 하나였다. 이를 위해 나는 지속적으로 학습하고, 전문성을 높이기 위한 다양한 활동에 참여했다. 관련된 자격증을 취득하고, 세미나와 워크숍에 참석하며, 전문가들과의 네트워킹을 통해 나의 지식과 경험을 확장했다. 이러한 노력은 나를 전문가로서 성장시키는 데 큰 도움이 되었다.

즐겁게 오랫동안 일을 할려면 세가지를 기억하세요.
첫 번째 돈이 되어야 한다.
두 번째 독립적이여야 한다.
세 번째 사명감이 있어야 한다.

비전을 설정할 때, 나는 세 가지 중요한 요소를 고려했다.
돈, 독립성, 그리고 사명감

1. 돈

돈은 우리가 원하는 삶을 지속적으로 즐기기 위해 필수적인 요소이다. 경제적인 안정성은 우리가 다른 목표를 추구하는 데 있어 중요한 기반이 된다. 나는 경제적인 안정성을 확보하기 위해 먼저 현실적인 목표를 설정하고, 그것을 달성하기 위한 전략을 세웠다. 이는 나의 비전을 실현하는 데 있어 중요한 출발점이 되었다.

2. 독립성

독립성은 내가 내리는 결정에 있어 자율성을 갖는 것을 의미한다. 독립성을 확보하기 위해 나는 다양한 기술과 지식을 습득하고, 스스로의 힘으로 문제를 해결하는 능력을 키웠다. 이는 내가 원하는 방향으로 나아갈 수 있도록 도와주었으며, 나에게 큰 자유와 만족감을 준다.

3. 사명감

사명감은 큰 동기부여를 제공하는 중요한 요소이다. 특히, 이타적인 사명감은 나의 삶에 깊은 의미를 부여한다. 돈과 독립성만을 추구했을 때, 나는 어느 순간 공허함을 느꼈다. 그러나 사명감을 더했을 때, 나의 삶은 더 풍요로워졌고, 나의 목표는 더 강력한 동기부여를 얻었다.

“내가 누구로서 누구에게 무엇을 어떻게 도움이 될것인가?” 깊이 생각했다. 이런 사명감은 나에게 지속적인 에너지를 제공하며, 나의 비전을 실현하는 데 큰 힘이 된다. 나는 내가 사회에 긍정적인 영향을 미치고, 도움이 필요한 사람들을 돕는 것이 나의 사명이라고 생각했다. 이를 위해 나는 자원봉사 활동에 참여하고, 사회적 이슈에 대한 인식을 높이기 위해 노력한다.

나의 사명 선언

나의 사명은, 나 자신이 누구인지 명확히 이해하고, 나의 지식과 경험을 통해 많은 사람들에게 긍정적인 영향을 미치는 것이다. 나는 다양한 사람들과의 교류를 통해 그들의 삶을 개선하고, 그들이 더 나은 미래를 향해 나아갈 수 있도록 도울 것이다. 이를 위해 나는 지속적으로 학습하고, 나의 전문성을 높이며, 나의 지식을 공유하는 데 힘쓸 것이다.

나는 사람들에게 실질적인 도움을 주기 위해 다음과 같은 방식으로 노력할 것이다:

지식과 경험 공유: 나는 나의 지식과 경험을 책, 블로그, 강연 등을 통해 공유할 것이다. 이를 통해 더 많은 사람들이 나의 경험에서 배울 수 있도록 할 것이다.

멘토링과 상담: 나는 도움이 필요한 사람들에게 멘토링과 상담을 제공하여 그들이 자신의 문제를 해결하고, 목표를 달성할 수 있도록 도울 것이다.

자원봉사와 사회 기여: 나는 자원봉사 활동에 참여하고, 사회적 이슈에 대한 인식을 높이기 위해 노력할 것이다. 이를 통해 사회에 긍정적인 변화를 일으킬 것이다.

나의 사명은 단순히 개인적인 성공을 넘어, 다른 사람들의 삶에 긍정적인 영향을 미치는 것이다. 나는 나의 가치와 비전을 바탕으로, 많은 사람들에게 도움이 되고, 그들의 삶을 더욱 풍요롭게 만드는 데 기여할 것이다.

7장. 브랜딩 책쓰기

자신을 브랜딩하는 책쓰기 방법

브랜딩 책쓰기는 단순히 자신의 이야기를 쓰는 것이 아니라, 자신을 브랜드로 만들기 위한 전략적인 접근이 필요하다. 이는 자신을 전문가로 포지셔닝하고, 독자들에게 신뢰를 구축하는 과정을 포함한다. 브랜딩 책쓰기는 당신의 경험, 지식, 가치관을 통해 당신을 독자들에게 알려주는 중요한 도구이다.

전문가가 책을 쓰는 것이 아니라 책을 쓰면 전문가가 된다.

브랜딩 책쓰기의 목적

전문성 구축: 자신의 분야에서의 지식과 경험을 공유하여 독자들에게 신뢰를 구축한다.

개인 브랜드 확립: 자신의 강점과 고유한 스타일을 통해 독자들에게 자신을 브랜드로서 인식시키는 것이다.

네트워킹 기회 제공: 책을 통해 새로운 사람들과의 교류를 촉진하고, 전문가로서의 네트워크를 확장한다.

영향력 확대: 자신의 생각과 비전을 널리 알리고, 더 많은 사람들에게 영향을 미친다.

1. 주제 선정

브랜딩 책쓰기를 시작할 때 가장 중요한 것은 주제를 선정하는 것이다. 주제는 자신의 전문성과 경험을 기반으로 하되, 독자들이 관심을 가질 만한 내용이어야 한다. 다음과 같은 질문을 통해 주제를 선정할 수 있다:

나의 전문 분야는 무엇인가?
내가 가진 독특한 경험이나 지식은 무엇인가?
독자들이 궁금해할 만한 주제는 무엇인가?

2. 독자 분석

책을 쓰기 전에 타겟 독자를 명확히 정의하는 것이 중요하다. 타겟 독자를 이해하면 그들의 필요와 기대에 맞춘 콘텐츠를 제공할 수 있다. 독자 분석을 위해 다음과 같은 질문을 던져볼 수 있다:

나의 타겟 독자는 누구인가?
그들이 직면한 문제나 고민은 무엇인가?
그들이 얻고자 하는 정보는 무엇인가?

3. 콘텐츠 기획

주제와 타겟 독자가 명확해지면, 책의 내용을 구체적으로 기획해야 한다. 목차를 작성하고, 각 장에서 다룰 내용을 계획한다. 이 과정에서는 다음을 고려해야 한다:

책의 전체적인 흐름과 구조를 어떻게 잡을 것인가?
각 장에서 어떤 주제를 다룰 것인가?
어떤 사례나 이야기를 포함할 것인가?

4. 글쓰기와 편집

콘텐츠 기획이 완료되면, 본격적인 글쓰기를 시작한다. 글을 쓸 때는 자신의 목소리를 유지하면서도, 독자들에게 명확하고 유익한 정보를 제공하는 것이 중요하다. 글을 쓴 후에는 꼼꼼한 편집 과정을 거쳐야 한다. 이 과정에서는 다음을 고려한다:

글의 흐름과 논리성을 점검한다.
문법과 표현을 다듬는다.
독자의 입장에서 내용을 검토한다.

5. 디자인과 출판

책의 내용이 완성되면, 책의 디자인과 출판 과정을 거친다. 디자인은 독자들의 시선을 끌고, 내용을 쉽게 이해할 수 있도록 도와주는 중요한 요소이다. 출판 과정에서는 다음을 고려한다.

책의 표지 디자인과 내부 레이아웃을 어떻게 할 것인가?
책을 출판할 플랫폼이나 출판사를 선택한다.
출판 후의 마케팅 전략을 세운다.

전문가로서 신뢰를 구축하는 과정

브랜딩 책쓰기를 통해 전문가로서 신뢰를 구축하는 것은 매우 중요한 과정이다. 이를 위해서는 다음과 같은 전략이 필요하다.

신뢰를 구축하는 방법

1. 일관된 메시지 전달
책에서 전달하는 메시지는 일관성이 있어야 한다. 일관된 메시지를 통해 독자들은 당신이 신뢰할 수 있는 전문가라는 인식을 가지게 된다.

2. 구체적이고 실질적인 정보 제공
추상적이고 모호한 내용보다는 구체적이고 실질적인 정보를 제공하는 것이 중요하다. 독자들은 실질적인 도움이 되는 정보를 통해 당신을 신뢰하게 된다.

3. 개인적인 경험과 사례 공유
개인적인 경험과 사례를 공유하면 독자들에게 더 큰 신뢰감을 줄 수 있다. 실제 경험을 바탕으로 한 이야기는 독자들에게 더 큰 공감을 불러일으키고, 당신의 전문성을 입증하는 데 도움이 된다.

4. 꾸준한 소통과 피드백 수용
책을 출판한 후에도 독자들과 꾸준히 소통하고, 그들의 피드백을 수용하는 것이 중요하다. 독자들과의 소통을 통해 그들의 신뢰를 얻고, 더 나은 콘텐츠를 제공할 수 있다.

브랜딩 책쓰기와 나다운 글쓰기의 차이점

브랜딩 책쓰기와 나다운 글쓰기는 몇 가지 중요한 차이점이 있다.

브랜딩 책쓰기

목적
자신을 전문가로 포지셔닝하고, 독자들에게 신뢰를 구축하는 것을 목표로 한다.

타겟 독자
특정 타겟 독자를 대상으로 하여 그들의 필요와 기대에 맞춘 콘텐츠를 제공한다.

콘텐츠
구체적이고 실질적인 정보와 사례를 통해 독자들에게 가치를 제공한다.

스타일: 일관된 메시지와 프로페셔널한 톤을 유지한다.

목적
자신의 생각과 감정을 자유롭게 표현하고, 자기 성찰을 목표로 한다.

타겟 독자
특정한 타겟 독자가 없으며, 주로 자기 자신을 위한 글쓰기이다.

콘텐츠
개인적인 경험과 감정을 중심으로 자유롭게 표현한다.

스타일: 자유롭고 창의적인 글쓰기 스타일을 유지한다.

브랜딩 책쓰기는 전략적인 접근이 필요하며, 자신의 전문성을 독자들에게 효과적으로 전달하기 위한 중요한 도구이다. 이를 통해 자신을 브랜드로서 확립하고, 더 많은 사람들에게 영향을 미칠 수 있다. 반면, 나다운 글쓰기는 자유로운 표현과 자기 성찰을 중심으로 하며, 주로 개인적인 만족과 성장을 위한 것이다.

브랜딩 책쓰기와 나다운 글쓰기는 목적과 접근 방식에서 차이가 있지만, 두 가지 모두 자신을 표현하고 성장하는 중요한 방법이다. 각각의 목적과 상황에 맞게 두 가지 방식을 적절히 활용하면, 더 큰 성취와 만족을 얻을 수 있을 것이다.

8장. 나답게 사는 삶

나답게 살기 위한 행동 계획

나답게 사는 삶은 자신을 온전히 이해하고, 자신의 가치와 비전에 따라 행동하는 것이다. 이를 위해서는 명확한 행동 계획이 필요하다. 나답게 살기 위한 행동 계획과 이를 지속하는 방법에 대해 이야기해보고자 한다.

자기 이해와 자기 수용
자신을 이해하고 수용하는 것은 나답게 사는 삶의 첫걸음이다. 나는 늘 자신에게 질문을 던지며 나를 이해하려고 노력했다. 나는 무엇을 좋아하고 무엇을 싫어하는가? 나의 강점과 약점은 무엇인가? 나는 어떤 상황에서 가장 행복한가? 이런 질문들은 나 자신을 깊이 이해하게 해주었고, 나의 모든 면을 수용하게 해주었다. 자신을 있는 그대로 받아들이는 것이 나답게 사는 삶의 기초가 된다.

명확한 목표 설정
나답게 살기 위해서는 명확한 목표를 설정하는 것이 중요하다. 목표는 내가 진정으로 원하는 것이 무엇인지를 반영해야 한다. 나는 나의 가치를 반영한 목표를 구체적이고 현실적으로 설정하고, 그것을 달성하기 위한 구체적인 단계를 계획했다. 명확한 목표를 설정함으로써 나는 내가 나아갈 방향을 명확히 하고, 이를 이루기 위한 구체적인 행동 계획을 세울 수 있었다.

자발적인 활동과 시간 관리

자발적으로 활동을 계획하고 시간을 관리하는 것은 나답게 사는 삶을 유지하는 데 중요하다. 나는 중요한 일을 먼저 처리하고 덜 중요한 일은 나중으로 미루는 우선순위 설정 방법을 활용했다. 또한 하루 일정을 시간 블록으로 나누고 각 블록에 특정한 일을 할당하는 시간 블록화 방법을 사용했다. 매일 아침 일일 계획을 세우고 그날 해야 할 일들을 정리함으로써 나는 진정으로 중요하게 여기는 일에 집중할 수 있었다.

꾸준한 자기 개발과 학습

나답게 살기 위해서는 꾸준한 자기 개발과 학습이 필요하다. 나는 항상 새로운 지식과 기술을 습득하고, 다양한 책을 읽으며 연구를 통해 지식을 넓혔다. 관련된 강연과 워크숍에 참석하여 전문가들과 교류하고 새로운 통찰을 얻는 것도 중요한 방법이었다. 꾸준한 자기 개발과 학습을 통해 나는 자신을 지속적으로 성장시키고 나답게 사는 삶을 더욱 풍요롭게 만들 수 있었다.

휴식과 재충전

나에게 휴식은 단순히 여행을 가거나 맛있는 음식을 먹고, 영화를 보는 것만을 의미하지 않는다. 나에게 휴식은 새로운 것을 배우고, 새로운 사람들을 만나는 의미를 가진다. 이는 나를 재충전시키고 새로운 영감을 얻는 데 큰 도움이 된다. 나는 새로운 주제나 분야에 대해 배우며 지적 자극을 받고, 다양한 사람들과의 만남을 통해 활력소를 얻었다. 또한 조용한 곳에서 자신을 돌아보고 나의 감정과 생각을 정리하는 시간을 가졌다. 이는 정신적인 휴식을 제공하며 나의 내면을 재충전하는 데 큰 도움이 되었다.

휴식과 여가 시간을 활용하여
창의력을 키우고
자기 계발을 통해 경쟁력을 키우는 것.

휴식은 게으름도 나태함도 아니다.
진정한 나를 만나는 길.

잘 쉬는 것도 능력이며 쉬는 것도 용기가 필요하다.
쉬는 것도 살아가는 것이다.
쉬는 것도 투자다.

자기 경영의 시작은 휴식이다.

아직도 남들처럼 일만 하시겠습니까?

양일옥의 페이스북(23.10.29)

나답게 사는 삶을 지속하는 방법

나답게 사는 삶을 지속하기 위해서는 일관된 노력이 필요하다. 나는 정기적으로 자기 성찰을 하고 피드백을 받는 것을 중요하게 생각한다. 매일 일기를 쓰며 자신의 감정과 생각을 기록하고, 주위 사람들에게 피드백을 요청하며, 정기적으로 자신의 목표 달성 여부를 평가하고 필요에 따라 목표를 조정했다.

신체적, 정신적 건강을 유지하는 것도 중요하다. 나는 매일 규칙적으로 운동을 하고, 정기적으로 명상과 휴식을 통해 정신적 스트레스를 해소했다. 균형 잡힌 식사를 통해 신체에 필요한 영양을 공급하며 건강을 유지했다.

긍정적인 인간관계를 맺는 것도 나답게 사는 삶을 지속하는 데 큰 도움이 되었다. 나는 가족과 친구들과 정기적으로 시간을 보내며 정서적 지지와 행복감을 얻었고, 새로운 모임과 이벤트에 참석하여 다양한 사람들과 교류하고 새로운 인연을 맺었다. 자신의 목표와 가치를 공유하는 사람들과의 네트워크를 형성하여 서로 지지하고 격려하는 것도 중요한 부분이었다.

목표를 달성하거나 중요한 성취를 이루었을 때 자기 보상과 축하를 하는 것도 중요하다. 나는 목표를 달성했을 때 자신에게 줄 보상을 미리 계획하고 이를 실천했다. 작은 성취도 중요하게 여기고 이를 축하하는 시간을 가졌으며, 자신에게 긍정적인 말을 건네며 자신을 격려하고 칭찬했다.

나답게 사는 삶을 지속하기 위해서는 지속적인 도전과 성취가 필요하다. 나는 기존 목표를 달성한 후 새로운 목표를 설정하고 이를 향해 나아갔으며, 자신의 한계를 시험할 수 있는 도전적인 과제를 수행하며 성취감을 느꼈다. 항상 새로운 것을 배우고 자신의 역량을 확장하기 위해 노력했다.

"완벽해서 시작하는 것이 아니라 하면서 완벽해지자.
시작은 촌스럽게 해도 좋다."

나답게 사는 삶은 단순히 한 번의 결심으로 끝나는 것이 아니라, 지속적인 노력과 자기 관리가 필요한 과정이다. 자신의 가치와 비전을 명확히 하고 이를 실현하기 위한 구체적인 행동 계획을 세우며, 꾸준한 자기 개발과 성찰을 통해 나답게 사는 삶을 유지할 수 있다. 이 과정에서 중요한 것은 자신을 사랑하고 자신의 길을 믿으며, 끊임없이 성장하고 발전하는 것이다.

자기 경영의 중요성

가치와 비전을 설정한 후, 이를 실현하기 위해서는 자기 경영이 중요하다. 자기 경영은 우리가 설정한 목표를 이루기 위해 필요한 시간, 에너지, 자원을 효율적으로 관리하는 것이다. 이를 위해서는 자기주도적인 시간 관리, 목표 관리, 지식 관리가 필요하다.

자기주도적인 시간 관리

자기주도적인 시간 관리는 우리가 설정한 목표를 이루기 위해 필요한 시간을 효율적으로 관리하는 것이다. 이를 위해 나는 다음과 같은 방법을 활용했다.

우선순위 설정: 나는 내가 해야 할 일들을 우선순위에 따라 정리하고, 가장 중요한 일부터 처리하기 시작했다. 이를 통해 중요한 일을 놓치지 않고, 효과적으로 시간을 관리할 수 있었다.

시간 블록화: 나는 하루 일정을 시간 블록으로 나누고, 각 블록에 특정한 일을 할당했다. 이를 통해 집중력을 높이고, 효율적으로 시간을 사용할 수 있었다.

일일 계획 세우기: 나는 매일 아침 일일 계획을 세우고, 그날 해야 할 일들을 정리했다. 이를 통해 하루를 체계적으로 관리하고, 목표를 효과적으로 달성할 수 있었다.

목표 관리는 우리가 설정한 목표를 이루기 위해 필요한 단계를 계획하고, 실행하는 것이다. 이를 위해 나는 다음과 같은 방법을 활용했다:

SMART 목표 설정: 나는 목표를 구체적이고, 측정 가능하며, 달성 가능하고, 관련성 있으며, 시간제한이 있는 SMART 목표로 설정했다. 이를 통해 목표를 명확히 하고, 효과적으로 달성할 수 있었다.

중간 목표 설정: 나는 큰 목표를 작은 단위의 중간 목표로 나누고, 단계별로 목표를 이루기 위해 노력했다. 이를 통해 목표를 점진적으로 달성하고, 동기부여를 유지할 수 있었다.

피드백과 조정: 나는 목표를 달성하는 과정에서 주기적으로 피드백을 받고, 필요에 따라 목표를 조정했다. 이를 통해 목표를 효과적으로 관리하고, 지속적으로 발전할 수 있었다.

지식 관리는 우리가 얻은 지식을 체계적으로 정리하고, 이를 효과적으로 활용하는 것이다. 이를 위해 나는 다음과 같은 방법을 활용했다:

지식 정리: 나는 새로운 정보를 얻을 때마다 이를 체계적으로 정리하고, 필요한 경우 참고할 수 있도록 했다. 이를 위해 노트나 디지털 도구를 활용했다.

지식 공유: 나는 얻은 지식을 다른 사람들과 공유하고, 이를 통해 새로운 통찰을 얻었다. 이를 위해 블로그나 소셜 미디어를 활용했다.

지속적인 학습: 나는 항상 새로운 것을 배우고, 지식을 확장하기 위해 노력했다. 이를 위해 온라인 강좌나 세미나, 워크숍에 정기적으로 참석했다.

가치와 비전을 명확히 하고, 이를 실현하기 위해 자기경영을 효과적으로 수행하는 것은 우리의 삶에 큰 영향을 미친다. 이는 우리의 목표를 달성하고, 나아가야 할 방향을 명확히 하는데 큰 도움이 된다. 또한, 자기주도적인 시간 관리, 목표 관리, 지식 관리를 통해 우리는 더 효과적으로 목표를 달성하고, 지속적으로 성장할 수 있다.

가치와 비전은 단순한 목표 설정을 넘어, 우리의 삶의 방향을 제시하고, 우리가 추구해야 할 가치를 명확히 하는 중요한 요소다. 이를 통해 우리는 더욱 의미 있는 삶을 살아가고, 자신만의 고유한 길을 걸어갈 수 있다.

에필로그

나다운 삶을 향해

이 책을 통해 나는 나답게 사는 삶의 중요성과 그 과정을 공유하고자 했다. 나의 이야기가 당신에게 영감을 주고, 자신의 길을 찾는 데 도움이 되기를 바란다.

우리는 모두 각자의 독특한 이야기를 가지고 있다. 각자의 가치와 비전을 가지고, 자신의 길을 찾아가는 과정에서 때로는 혼란스럽고 두려울 수 있다. 그러나 중요한 것은 나 자신을 잃지 않는 것이다. 나답게 사는 삶은 단순히 외적인 성공을 추구하는 것이 아니라, 내면의 진정한 나를 발견하고, 나의 가치를 실현하며, 나만의 고유한 길을 걸어가는 것이다.

당신이 어디에 있든, 어떤 상황에 처해 있든, 당신은 그 자체로 소중하고 특별한 존재다. 자신의 가치를 믿고, 자신을 사랑하며, 나답게 살아가기를 바란다. 자신을 이해하고 수용하는 것에서부터 시작해, 명확한 목표를 설정하고, 이를 이루기 위한 구체적인 계획을 세워 나가자. 끊임없는 자기 개발과 성찰을 통해, 자신의 가능성을 최대한 발휘하며, 나다운 삶을 살아가길 바란다.

나답게 사는 삶은 결코 쉽지 않다. 때로는 길을 잃고, 혼란스러워질 때도 있을 것이다. 하지만 자신을 믿고, 자신의 길을 꾸준히 걸어가다 보면, 결국 당신만의 빛나는 삶을 만들어 갈 수 있을 것이다. 나를 이해하고, 나의 가치를 존중하며, 나의 비전을 실현하는 것이야말로 진정한 행복과 성취를 가져다준다.

마지막으로, 나다운 삶을 살아가려는 모든 이들에게 응원의 메시지를 전하고 싶다. 당신의 꿈을 포기하지 말고, 당신의 길을 믿어라. 당신은 그 어떤 어려움도 이겨낼 수 있는 강한 존재다. 당신의 가치와 비전을 따라, 나답게 살아가는 여정을 응원한다. 이 책이 당신의 나다움을 찾는 데 작은 등불이 되기를 진심으로 소망한다. 당신의 나다운 삶을 향해, 지금 이 순간부터 시작하자.

삶은 짧고, 당신은 그 삶을 충분히 가치 있게 만들 자격이 있다. 자신의 길을 걸어가는 당신의 모든 발걸음을 응원하며, 당신의 나다운 삶을 향한 여정에 큰 축복이 함께하기를 바란다.

살면서...
정말 행복하다고 느낄 때는
무언가를 원 없이 가졌을 때라기보다
내가 나다울 때,
그리고 사랑하는 사람과 함께 할 때인 것 같다.

나이가 들어도 중심을 지켜나가는
당신의 삶을 응원한다.

양일옥의 페이스북(23.12.3)

오늘부터 나답게 살기로 했다.

발 행 | 2024년 08월 08일
저 자 | 양일옥
펴낸이 | 한건희
펴낸곳 | 주식회사 부크크
출판사등록 | 2014.07.15.(제2014-16호)
주소 | 서울특별시 금천구 가산디지털1로 119 SK트윈타워 A동 305호
전 화 | 1670-8316
이메일 | info@bookk.co.kr

ISBN | 979-11-410-9966-4

www.bookk.co.kr